SOL "LES OEUFS LIMPIDES"

MARC FAVREAU

SOL "LES OEUFS LIMPIDES"

Stanké

ISBN 2-7604-0040-9

à ma Biche
ma pluss que
folle du Logis

Préface

Le plus beau prototype que je connaisse de la révolution tranquille, c'est bien celui de Marc Favreau et de Sol. En ces temps où le nivellement par le bas, la complaisance, la médiocrité sont à l'honneur, c'est encore lui qui donne l'exemple de la qualité, du travail achevé, de la recherche, de l'inquiétude inhérente aux artistes.

Sans emphase, sans ostentation, avec une humilité dont je ne connais que très peu de cas, il avance en carrière, si je puis m'exprimer ainsi, il avance hors frontières, en internationalisant non seulement son personnage, mais la culture française d'Amérique. D'ici, il atteint l'ailleurs, et je ne le chicanerai pas d'aimer le monde.

Quand le « joual » était à la mode..., que la décadence linguistique allait bon train, il allait à l'encontre de ces mouvements. Marc Favreau récupère le langage malade, lui insuffle une vie nouvelle, alimente le sens des mots tout en nous faisant rire et rire de nous-mêmes par son talent.

Il philosophie à sa manière, fait prendre conscience, il illumine notre labyrinthe culturel avec une tendresse, une douceur et un amour de la vie qui devraient être contagieux.

A l'époque, je ne connaissais que Sol, depuis, j'ai connu Marc et les atomes crochus ont fait le reste. J'ai pu découvrir, parce qu'il me l'aura permis, à quel point il réussit à vivre sa dualité, de sorte que je me demande parfois si c'est Sol qui est Marc Favreau ou si c'est Marc Favreau qui est Sol. Or, il est rare de voir tant d'harmonie entre soi et son double, comme en témoigne Marc, et pousser le duel aussi loin, sans qu'il y ait victime...

Poète, philosophe, sociologue, médecin de l'esprit, menuisier, jardinier et touche-à-tout, peut-être Marc Favreau est-il le meilleur modèle qui soit de l'autodidacte et l'original témoin d'une époque secouée par toutes sortes de crises qu'il transcende avec un grand éclat de rire et nous convie à partager comme un feu de Bengale.

C'est peut-être un maquillage, un chapeau, un grand manteau, une poubelle et une poupée qui font Sol, mais tous ces accessoires ne sont que des accessoires derrière lesquels il y a Marc, comme il fallait autre chose qu'une démarche, une canne, un canotier pour faire Charlot.

Marcel Godin

Flûte alors!

SOL SORT UNE FLÛTE À BEC DE SA POCHE ET S'INSTALLE
DEVANT SON LUTRIN. AU LIEU DE SOUFFLER DANS LA FLÛTE,
IL ASPIRE.

flûte alors

ouille c'est dur c'est dur
quand on est seulement un aspirant

je joue de malheur

IL ESSAIE DE NOUVEAU.

je dis pas ça pour m'esscuser
mais
elle est pas neuve
elle est pleine de petits trous

ouille que je suis bête
pôvre petite
il lui manque un morceau
c'est sûr

IL SORT UN VAGUE MORCEAU DE FEUILLE À MUSIQUE
ET LE POSE SUR LE LUTRIN.
IL REPREND SA FLÛTE, TOUJOURS SANS RÉSULTAT.

c'est pas ta faute pôvre petite
c'est la faute des impositeurs de musique
toujours il font ça par petits morceaux
attends

CETTE FOIS, C'EST UN CAHIER DE MUSIQUE
QU'IL POSE SUR LE LUTRIN.
NOUVEL ESSAI, RIEN.

pourquoi tu joues pas?
je suis été bon pour toi
je t'a donné tous les morceaux que tu voulais
avant bien sûr je comprends
avant c'était pas pareil
tu étais toujours seule tu t'ennouillais
t'avais personne pour jouer

mais maintenant
maintenant que je suis là avec que toi
rappelle-toi
quand je t'a rencontrée la première fois
rappelle-toi
qu'est-ce que je t'a dit?
je t'a dit bonjour bonjour petite flûte
t'avais l'air enchantée

peut-être c'est ton cadeau que t'aimes pas
un beau lutin tout neuf que je t'avais acheté
pôvre petite

elle est tant tellement naïve
je lui avais fait croire que c'était
un lutin du super noël
attends petite attends
je vas sercher
et peut-être je vas en trouver un autre
de cadeau pour toi

IL FOUILLE DANS SES GRANDES POCHES
ET EN SORT UN BOUGEOIR.

ouille oui t'en as de la chance
regarde ton nouveau cadeau
ça te plaît?
bien sûr tu sais pas à quoi ça sert
tu sais pas comment ça s'appelle
c'est un bougeoir
pour que tu restes tranquille

ET IL GLISSE LA FLÛTE DANS LE BOUGEOIR,
COMME IL FERAIT D'UNE CHANDELLE.

ouille j'y pense
peut-être c'est le morceau qu'est trop dur
et moi vilain
que je te force
attends
peut-être il m'en reste un petit mou

IL FOUILLE ET TROUVE UN PETIT MORCEAU DE FROMAGE.

regarde comme t'as de la chance
c'est pour toi
goûte
c'est bon
allez ouvre ton petit bec

LA FLÛTE NE DONNE AUCUN SIGNE D'APPÉTIT.

là je comprends pas
je dois dire je comprends vraiment pas
d'habitude
le mozzarella

tu commences à m'énervouiller sérieusement
si tu continouilles
tu vas me rendre très complètement
scherzophrène
je peux quand même pas te souffler ton air

ouille c'est pas bien
je devrais pas
j'ai tort de la bruxer pôvre petite
quand je la visionne comme ça
toute maigrelette
je me sens pitoyeux
elle a l'air tant tellement affectionneuse

avec son petit bec
et ses nombreux nombrils

je sais quoi
je vas être bon pour elle
je vas lui faire du charming
regarde-moi petite flûte
regarde-moi dans les yeux
je suis un serpent

IL ONDULE ET FAIT LE SERPENT
PUIS IL TIRE DE NOUVEAU SUR SA FLÛTE.
ELLE RESTE MUETTE.

rien à faire
il faudrait que je soye un serpent à sonates

bon
tu veux pas jouer?
joue pas
tant pis moi je m'en fiche
ça m'est égal moi
je fais ce que je peux
je suis seulement ton bouche-trou

mais attention hein
si tu veux pas jouer
je t'avertouille c'est drôlement sérieux

si tu veux pas jouer
tu seras jamais connue
tu seras jamais connue et tu seras jamais engagée
et jamais tu pourras gagner ma vie

si au moins t'étais un petit violon
je pourrais faire vibraphoner
ta cordelette de sensiblerie
ouille le violon alors
ça j'aimerais ça jouer le violon
c'est mon rêve
le violon
pas le violon sale qu'on tient loin comme ça
le vrai violon
le petit
le gentil le vermouilleux
l'esstradivarius
celui qu'on prend comme un ami
celui qu'on met dans le cou
et on le berce le petit violon
quand il est trixte
et des fois il pleure
il pleure tant tellement
il faut mettre un petit mouchoir
pour le soutenir

ouille en tout cas
avec un violon peut-être je jouerais

16

esstradinaire
peut-être je jouerais comme un cigane

ça ça joue les ciganes
faut les voir
gna gna gna gna
ouiiii
vrrrrrrrring
et pleure le violon
le cigane aussi
c'est beau

moi j'en a jamais vu
mais Sophie elle en a vu
bouge pas
Sophie Sophie

SOL SORT UNE PETITE BOÎTE D'ALLUMETTES
QU'IL OUVRE DÉLICATEMENT.
IL EN SORT UNE FOURMI.

je te présentationne Sophie
c'est ma fourmille
elle elle en a connu une cigane

la première fois d'ailleurs
qu'elle l'a entendue jouer la cigane
sur son petit minuxcule violon

c'était l'été
et pluss il faisait chaud pluss elle jouait
tout de suite bien sûr
ma fourmille a drôlement été impresario
même qu'elle a demandé à la cigane
tu veux que je soye ton métronome de confiance
et l'autre a répondu d'accord
et ça l'a marché

ça l'a pas marché tant tellement longtemps non
passeque une cigane
quand ç'a une fourmille dans les jambes pffuitt
elle a dixparue
elle a partie voyaginer
elle aussi ma fourmille
elle a voyaginé drôlement
je l'a trouvée un jour pôvre petite sur le trottinoir
en ville
ouille peut-être elle a venu en ville avec la campagne

IL TIRE SUR LA FLÛTE QUI NE VEUT TOUJOURS RIEN SAVOIR.

des fois j'ai le goût de t'abandouiller
de changer d'uxtensile
et y en a tu sais
y a qu'à choisir
je pourrais essayer le taxiphone
ou l'amandoline

ou une pluss mignonnette encore
celle qu'on prend par la anche
la nectarinette
ou encore mieux
je pourrais pincer les cordes
de l'archangélique uxtensile
je pourrais jouer de l'écharpe
ça c'est agréable
on promène ses petits doigts comme ça
ouille
j'aimerais ça

mais je sais que je serai jamais capable
jamais
parce que j'ai pas des mains de femme
faut les voir les femmes
quand elles jouent de l'écharpe
c'est beau

ouille
y en a un d'uxtensile
que j'aimerais encore pluss jouer
un vrai de vrai
pas un petit comme toi
un gros
tant tellement gigantexe
il faut être un virtuyause pour jouer

moi si j'étais un virtuyause
j'oserais
j'oserais entrer dans une éclipse
ou bien dans un cathédrabe
je monterais dans le jujube
et là
je toucherais l'ogre

ça j'aimerais ça toucher l'ogre

peut-être que lui il aimerait pas ça
peut-être qu'il se laisserait pas faire
peut-être même qu'il me défendrait moi
de promener toutes sortes de petits doigts
sur ses deux ou trois grands clavicules

et tout ça passeque je suis pas un virtuyause
passeque je suis pas assez instruimental...

L'adversité

moi
pôvre petit moi
j'a jamais été instructionné
c'est pas ma faute
quand j'étais tout petit
j'a suivi seulement les cours
de récréation
et après
il paraît que l'école
c'est secondaire
alors

ensuite
j'a même pas eu la chance d'aller à l'adversité
c'est elle qui a venue à moi

quand même j'aurais aimé ça
ç'aurait été vermouilleux
je me voye entrer à l'adversité
ouille alors
d'abord j'aurais passé l'exgamin d'entrée
ah oui
il m'aurait laissé passer
l'exgamin
bien sûr
passeque j'aurais été gentil
je serais pas arrivé là
en faisant mon frais de scolarité
c'est sûr

et après
j'aurais travallé fort

j'aurais pris le droit

le droit d'aller derrière le barreau
pour défendre la verve et l'ortolan
j'aurais fait des plaidoyens esstradinaires
des plaidoyens à l'emporte-piastre

je sais pas
je dis ça

peut-être aussi
j'aurais été autre chose
peut-être
j'aurais été déchirurgien
ouille oui
je me voye toujours accompagné
d'une belle sirène épidermique
pour piquer la curieuseté
peut-être
j'aurais été un dentisse
mais alors là
pas un dentisse comme les autres
j'aurais travallé quand j'aurais voulu
j'aurais été un indépendentisse
j'aurais enlevé une dent sur dix

en tout cas
en sortant de là
j'aurais été quelqu'un
ça c'est sûr
peut-être même quelqu'un de bien
peut-être un grand homme
peut-être un homme grand
peut-être un major d'homme
qui fait son servile militaire

peut-être j'aurais été plus fort encore
peut-être je serais devenu un expion célèbre
qui se laisse jamais avoir
et qui mange toujours
avec sa cuiller à soupçons

peut-être j'aurais été mieux encore
peut-être j'aurais été un héron
un héron de naguère
avec une amputation internationale

peut-être j'aurais été un déménagogue
ou un despotentat

ou même mieux encore
un dictaphone
un dictaphone à la voix nazillarde
peut-être pluss fort encore
j'aurais été un démonarque très énormément riche
toujours assis sur son trône
empire que pire

peut-être encore pluss mieux
pluss fort
peut-être j'aurais été pluss richessement riche
tous les jours
ç'aurait été le festin de la banquette
tous les jours
le carnivore de nice
la folie des grandes heures

j'aurais été un énormateur
un très énormateur
un très énormateur trillionnaire
un très énormateur trillionnaire mécréancier
complètement paquebot sur la merditerranée
qui nourrit des vicomptes de dépanse
avec des entrecôtes d'azur...

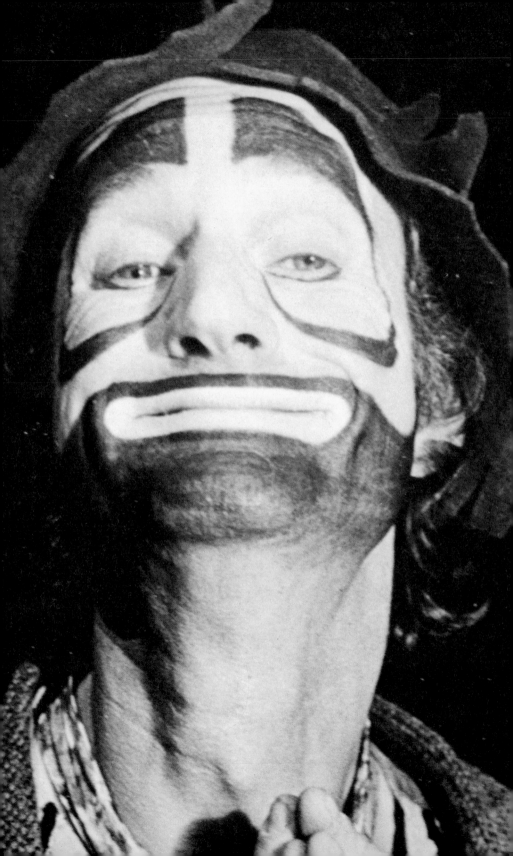

Les œufs Limpides

les œufs limpides c'est pas d'hier
mais je vas quand même essayer
d'en faire l'hystérique complet

il y a très très énormément jadis
les œufs limpides sont naquis dans la grèce
c'était un beau pays alors
avec de belles montagnes partout
et des chèvres
qui grimpignaient dessus
en broutant des olives

bien sûr dans ce temps-là les grecs
ils étaient pas tant tellement
instructionnés
ils savaient compter seulement jusqu'à zeus
quand ils arrivaient à trois
c'était la guerre

ils savaient faire autre chose quand même
ils savaient constructionner
de belles ruines toutes neuves
ils auscultaient des statues sans bras
qu'ils mettaient partout
sur de grands pieds détestables
c'était beau alors

mais un jour les pôvres grecs
ils avaient tant tellement constructionné
qu'ils avaient plus rien à faire
alors là ç'a été une extrêmeclamation
ouille c'est le chôming
c'est la catapostrophe
tout de suitement
le conseil des sinistres s'a réuni
en circonférence
autour d'une table ronde
et il s'a demandé quoi faire quoi faire quoi faire
comme d'habitude

un vieux s'a levé qui a dit
je propositionne de faire la guerre
ça serait bon pour occupassionner les jeunes

tout le monde là-dessus s'a esclafouillé
ça va pas non?
faire la guerre
c'est bien beau
mais où?
on fait pas la guerre comme ça
tout seul dans son petit coin
où?
à l'est peut-être?

à l'est ils commencent à nous voir venir
avec leurs yeux persans
à l'ouest?
waff
à l'ouest rien de nouveau
bien sûr à l'ouest
y a la gaule
mais c'est pas un but
et au sud
kesskenia au sud kesskenia?
au sud c'est l'égyspe
un pays pas intérexant l'égyspe
un pays où y a rien
pas de montagnes pas de collines
rien
nil
c'est là que le premier sinistre
a interventionné tout humide
peut-être avec un petit concours
on pourrait intérexer les jeunes
et tout le monde a répétouillé
bravo bravo bonne idée
un concours un concours un concours

et là il s'est passé un chose esstradinaire
tout près de là y avait un cuisinier
avec un flambeau
en train de flamber des cervelles

quand il a entendu ça
il a compris cours cours cours
alors il a pris son flambeau
passeque c'était la nuit
et il s'a mis à courir
et tout le monde a dit
où tu cours comme ça marmiton?
et tout le monde a couru
le marmiton

c'est là que ç'a été
le vrai commencing des œufs limpides
les grecs ils ont pas perdu de temps alors
tout de suite ils ont organouillé un stère
un stère des sports
pas un gros pour commencer
un petit
un ministère
et ç'a marché très fort
parce que les grecs
ils avaient peut-être le cœur antique
mais ils avaient aussi le pied d'athlète
et ils étaient crasses les grecs

et ils sont devenus pluss crasses encore
ils sont devenus démoncrasses
et ils ont dit à tout le monde

venez venez faire du participing
dans les œufs limpides avec nous
venez
et tout le monde a dit oui
même le fanfaron d'égyspe
qui a envoyé ses gyspiens
pour courir le marmiton
pôvres gyspiens
il fallait les voir essayer de courir de profil
jamais ils ont été capables
ils ont dû se contenter de faire la pyramide

mais ç'a pas été les seuls dans les œufs limpides
y en a d'autres qui sont venus
les romains par exemple
très fort les romains
c'est eux qui levaient les alter ego
et les turcs très forts à la lutte
qui envoyaient les autres rouler sur leur tapis
et puis les perses
qui sont arrivés avec leur chat assibyclette
ils venaient faire le lancement du chat à vélo
les perses

puis y a eu la gaule
qui avait délégingandé un grand
son pluss grand
qu'avait les yeux pluss grands que la france

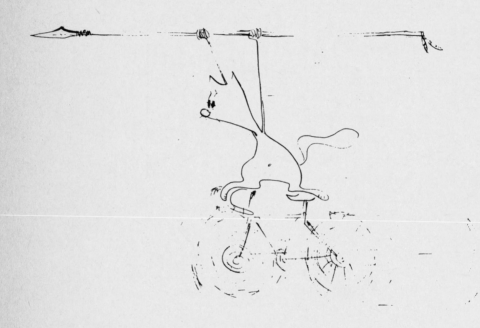

qui se tenait toujours droit
comme un i grec
et qui parlait toujours en général
il a dit nous serons là nous serons là
avec un sport bien de chez nous
le rugby le soccer ou le football

quand ils ont entendu ça les angleterriens
ils ont bien rigolé
et comme ils ont toujours des trucs dans leur manche
ils ont réflexionné

ce grand-là
il veut nous mettre en boîte
d'accord on va y aller avec la boxe
c'était normal pour les angleterriens
ils sont habitouillés à l'arène alors

et puis leurs cousins germains sont arrivés
bizarres ceux-là
ils sont venus avec un drôle de sport
un sport de naguère
l'excrime
et puis les amiricains ouille
ceux-là
ils venaient faire le lancement du dixe
le dixe populaire
il en avait partout partout
ils avaient amené
une grande table très énormément tournante
et ils faisaient des tours et des tours
comme ça pour lancer le dixe
trente-trois
c'était beau c'était beau

c'était pas pluss beau que les rustres quand même
ouille ceux-là
fallait les voir arriver alors
moujik en tête

et ça courait derrière
avec leur soviette autour du cou
les rustres
ils venaient faire le lancement du marteau
par-dessus la fossette
et en révolutionnant sur eux-mêmes bien sûr

et c'est pas tout
il en a venu d'autres
il a venu des professeurs de course
des tas
il en a venu de partout
c'était les 400 maîtres
et puis des sots
ouille alors
ça des sots y en avait
toutes sortes de sots
des sots en hauteur
des sots en longueur
des sots entre pros frondeurs
des sots par-dessus le mouton
des sots à la perchaude
les sots les plus bizarres
les sots les plus grenus

et tout ça
c'était les œufs limpides

et ç'a continouillé même après les grecs
pendant des centenaires des millionnaires
et un jour
ici
il y a pas tant tellement longtemps
le premier magextra de la métropoule
s'a réveillonné un beau matin
il a jeté un œil dehors
et il a entraperçu
que tous les piroquois de la ville
étaient changés en arbres
ouille qu'il a dit
c'est le moment
et il a monté au balcon
en exclamationnant
— mes chers conmitoyens
regardez ma ville

ici c'est comme dans la grèce
on a une montagne
on a des ausculteurs physiques
et des ruines
on en aura bien un jour
donc je déclarationne maintenant
je suis préparassionné
à recevoir les œufs limpides
êtes-vous d'accord?

et la majorette silencieuse elle a répondu
elle a pas répondu
parce que la majorette silencieuse
elle a toujours l'opinion pudique
en tout cas elle a pas dit non
et dans son langage ça veut dire oui

bien sûr tout le monde était pas d'accord
il y en a même qui se sont levés en protestant
pour demander le révérendum
et c'est là que le serpent de mer s'a fâché
non non non
jamais
pas question
rien à faire
pas de révérendum

non
je vas me débrouillarder tout seul
c'est mon affaire
je connais ça les œufs limpides quand même
laissez-moi faire
je vas vous constructionner
la pluss esstradinaire esstrade limpide jamais vue
et ça va vous coûter
waff

c'est pas d'hier que je cojote ça
je connais ça j'a voyaginé
je sais comment ils font ailleurs
ils s'énervouillent pas
ils y vont tranquillement
avec patience avec prudence avec tact
on va faire comme eux
on va prendre leur patience leur prudence leur tact
et même leur architacte s'il le faut
et je vous le dis
moi
votre serpent de mer
je vous le dis
rien n'est trop beau
ni trop cher
pour notre belle métropoule aux œufs d'or
et je le déclarationne
je suis prêt à recevoir les œufs

et il les a reçus le serpent

les œufs sont arrivés chez nous
venus de l'autre côté de l'océan athlétique
et on a flambé ça
ça n'a flambé qu'un seul été
mais c'était beau c'était beau

faut pas croire que c'est fini
les œufs limpides c'est jamais fini
comme le tonneau dadanaïf
toujours ça recommence

et bien sûr ça vieillit
ça donne de pluss en pluss de champignons

pôvres champignons
moi je voudrais les aider
quoi faire quoi faire
pour être un vrai participe présent?
pour que ça tourne pas au mélodrome
pour que les œufs soyent pas brouillés
j'ai beau réflexionner très fort
dans mon faible intérieur
la vieille moto me revient toujours
la vieille moto qui dit
mens sana in corpore sano
même dans le sauna incorpore les anneaux

voilà
faut être patient
c'est une question d'anneaux
je le dis avec amphore
rien ne cerf à nadia de bramer sur la poutre
et si le jupon dépasse le coureur
faut sortir l'écheveau de l'incurie

c'est dur
se mettre au régymnastique
pendant des anneaux et des anneaux
c'est dur
ne pas se laisser entraîner
dans les bars parallèles
par n'importe qui
les entraîneurs ça rode un peu partout
ça rêve de champignons sur le podium
et le podium c'est grave
quand le champignon s'adonne au podium
c'est la fin
l'œuphorie

pourquoi se fatiguer?
dansons le discobole
et détendons achille

si la médaille dort
pourquoi la réveiller?...

Les oisifs

j'essaie depuis longtemps
j'essaie d'avoir des amis
mais ça marche pas
oui bon
y a bien des chiens qui me courent après
toutes sortes de chiens
des espagnols des petits kinois
des poinsettias des matamores
des labradouilles des grosses boules d'ogre
des grands polissons
et même des daltoniens
qui me mettent leurs petits points noirs
plein les yeux
pluss un grand danube mélancolorique
qui me lâche pas
mais c'est pas pareil
c'est pas des vrais amis
c'est même pas moi qu'ils suivent
ils se suivent eux-mêmes
la queue leu leu
ils se suivent et se ressemblent pas

non moi
qu'est-ce que j'aimerais avoir comme amis?
c'est les oisifs
j'aimerais avoir plein de petits migrateurs
qui viendraient dans ma main
faire le ramasse-miettes

ça manque pas les oisifs
je les voye qui me volatilent autour
des petits goineaux des passerelles
des poinçons des corbeilles
des grivoises des sansonniers
des étourdis qui passent engoulevent pshuitt
à la fauvette
au-dessus du nid de casse-cou

et des pluss gros aussi
comme des bassines
et des tourtières et des plumards
et des escarcelles
et des troupeaux d'édredons
suivis de leurs petits coussins

et ça passe
pas un oisif qui s'arrête
j'ai beau passer des heures
à faire le perchoir les bras comme ça
ils viennent pas
ils m'aiment pas c'est sûr
c'est épouvantail

et moi je reste là
tout seul
à tourner en rond comme un radar sauvage

qui fait des petits signes
tournesol tournesol
ça finit par donner la migraine

ça passe ça file les oisifs
et même des fois ça revient pas
comme mes colombes

j'avais trois colombes
trois petites bien de chez nous
et un jour elles sont parties
les colombes quand ça a le pignon voyageur
ça déménage
elles ont migrationné vers l'absud
et elles ont stoppé en chemin
.pas tellement loin
dans la décapitale
ça leur a fait perdre la tête bien sûr
elles ont commencé à crier pêt pêt pêêêt
ça leur a enflammé l'alouette
ce qui leur a donné la rouge gorge

et alors elles ont pris le couvoir
et se sont mises à pontifier pontifiment
un peu partout
en roulant des yeux exorbitants
elles se prenaient pour des faucons
et pour mieux épervier tout le monde

elles se sont entourées
de toutes sortes de carapaces qui abusent
des carapaces de la pire espiègle
à deux têtes et à deux langues
qui cessent pas de crier
tant mieux si le condort
le vautour est toujours debout

pôvres petites colombes
elles se sont perdues
je les reverrai plus jamais ici
c'est dur de se faire des amis...

Le solide à terre

j'ai l'air de rien comme ça
mais les femmes je les connais
ouille oui
c'est pas passeque je suis pas mariné
que je connais pas les femmes
je les connais drôlement
même que j'a eu de la chance

la première que j'a connue
j'étais tout petit bébé
je suis nénufort un jour sous une belle étoile
d'un père inconnutôt
et d'une mère courage

ma mère je la connaissais déjà
depuis longtemps
depuis des mois
depuis que j'étais minuxcule

c'était une femme esstradinaire
une femme
d'intérieur agréable
j'étais bien chez elle
je flottais
j'étais comme dans la mère

mais ça a pas duré
un jour elle a dit
qu'elle pouvait plus me supporter
que j'étais devenu son inflation
et elle m'a mis à la porte
sprouitch

moi quand j'a vu
comment c'était dehors
tout de suite alors j'a pas perdu de temps
j'ai fait waaah waaah
waaah waaah
waaah

alors ma mère qui était très bonne pour moi
m'a pris dans ses grands doigts de féminine
et elle m'a versé dans mon verseau
et tout de suite je m'a calmé
c'était un bon signe

donne-lui tout de même à boire
lui dit mon père

là ç'a été complicaillé
pôvre petit bébé que j'étais
je savais pas

ça sait pas un bébé
quand on est grand
on est habitouillé
on sait choisir
mais le bébé il sait pas
il sait pas à quel sein se dévouer
pour lui c'est la mère à boire

heureusement ma mère
était très énormément nourrissante
et j'ai eu une enfance mâle et heureuse
elle était bonne pour moi ma mère
elle s'occupassionnait de moi toute la journée
le matin l'après-midi le soir
même la nuit elle s'occupassionnait de moi
c'était une mère veilleuse

bien sûr un jour
comme tout le monde
un jour
je suis été à l'école
non
il faut pas que j'exagérationne
je suis été seulement une demi-journée

oui
passeque quand je suis arrivé là
j'avais le cœur qui pilpatait
et les spatules qui grelottaient
j'étais tout tumide devant la demoiselle
faut dire que c'était ma première maîtresse alors

en tout cas j'a pas pu rester
j'a continouillé l'école dans la nature
là j'a appris des choses
j'a appris les abeilles les fleurs
ouille les abeilles
c'est vermouilleux
faut les voir sortir de leur cruche le matin
et ça travalle
ça l'arrête pas
toujours ça fleurette
ça lutine de fleur en fleur pour faire le mièvre
ça transpollène

les fleurs c'est pas pareil
les fleurs ça sait rien faire
ça bouge pas
oui des fois
ça tourne un peu avec le soleil
ça sait rien
ça sait rien faire
ça saurait même pas faire un bébé-fleur

s'il y avait pas les abeilles
et ça sait même pas se défendre
ça s'émotionne pour un oui ou pour un non
j'en a vu une l'autre jour
entre deux amoureux
je t'aime
un petit peu
beaucoup
très pluss
avec passoire
à la folie
ç'a pas été long
elle a perdu les pétales la pôvre

un peu pluss tard
j'a fait l'école frissonnière
et j'a appris les filles
la première que j'a apprise
elle était toute jeune toute petite
seulement à demignonne
pas mûre encore toute verte
mais elle sentait bon
une vraie chlorofille

tous les jours on se voyait dans le parc
sur un banc pudique
c'était beau c'était beau
c'était l'amour plate eunuque bien sûr

il m'aime un peu....

à la rigueur.... très....

pourquoi pas.... énormément.... pour toujours

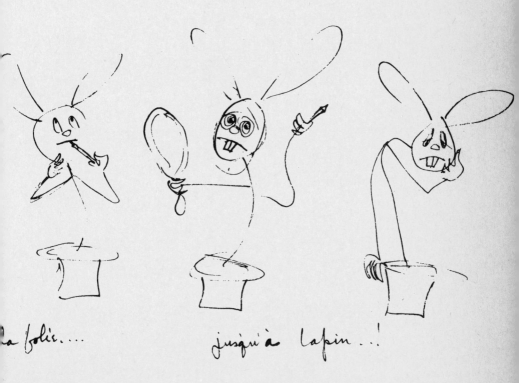

la folie....   jusqu'à lapin...!

c'est pluss tard
très pluss
que les vraies femmes ont entrées dans mon excitence
les femmes ouille

ça c'est un monde vous pouvez pas savoir
en tout cas
moi
je savais pas
je savais rien
je savais pas comment
je savais même pas par quel bout comment c'est

alors au début du commencing
j'a fait de l'observing
pour voir comment ça marche
et c'est là que j'a décidé de faire du suiving
ç'a l'air de rien le suiving
mais faut le faire
c'est pas faxile
ça marche ces bestioles-là
ça marche
et pluss elles sont belles
pluss elles marchent vite

peut-être elles poursuivent la mode
ça se peut
un jour j'étais le suivant

d'une belle grande qui trottinette
tout à coup
elle stoppe
elle pousse une porte
et elle pénétrationne dans un grand bourdonnoir
plein de femmes
et derrière sur une très plateforme
un grand mornequin se baladandinait

et ça dure comme ça
pendant des heures et des heures
et les femmes regardent ça
toute molles et pâmoisives

c'est là que j'a compris que les femmes
elles sont admirationnelles
passeque pour faire le suiving de la mode
il en faut du courrège

en tout cas mon suiving à moi
était terriblifique
je pouvais pas me décisionner
à choisir
je les suivais toutes
j'étais épuisaillé
faut dire qu'elles sont innombreuses
les femmes

dans l'ancien autrefois
à la belle époxe
il y en avait moins c'est sûr
un monsieur qui voulait faire du suiving
c'était pas complexé
il enfilait ses élégants
il mettait son chapeau de forme
prenait sa cannette
glissait une arrière-pensée à sa boutonnière
puis allait faire du promening sur les grands buvards
il était pas pressé
c'est seulement quand il en voyait une
tant tellement diafemme
qu'il faisait du suiving

et ça pouvait durer des heures et des heures
il attendait que le mouchoir tombe
et alors il le ramassait
et c'est là seulement là
qu'il pouvait montrer sa galantine

maintenant
non
maintenant on pourrait pas faire ça
on pourrait pas ouille non
on passerait son temps à ramasser
des vieux klinesques alors

d'ailleurs le suiving de nos jours
ça peut être dangereux
on est pas sûr qui on suit
ça dépend de la mode
des fois c'est équivogue
c'est pour ça qu'un jour j'a dit
je stoppe le suiving complètement
à partir de désormais
je va les voir venir de fastre

c'est comme ça que c'est arrivé
un jour j'en a vu venir une
je la voyais bien
elle transgressait la rue
elle venait vers moi
et tout à coup
frroutch
ploc
elle m'a jeté la foudre aux yeux
elle était belle
une belle grande grassouilleuse
vermouilleuse
sensalionnelle
avec un profil de soie
deux grandes paupiettes qui battaient
sur ses grands yeux au miroir
un érotique

une langoureuse
et de longs cheveux sauvages
qui galopinaient sur ses épaulettes
et sa vitrine de pigeon

tout de suite alors
tout de suite j'ai senti mon inflation

tout de suite je me suis sentimental
j'imaginationnais qu'elle s'appelait
Sollange
avec deux ailes bien sûr

je la revoye
je la revoye souvent
tous les jours
non
tous les soirs à la brunette
elle déambuline sur le trottinoir
jamais pressée
en catinmini
et elle passe devant moi
et elle repasse et repasse encore et encore
ouille moi je la dévorationne
je l'idole
elle
elle me regarde jamais

une fois oui une fois
elle m'a fait un petit sourire gentil
alors moi j'a voulu la saluer comme ça
et elle m'a mis un sou dans la main

jamais j'a compris pourquoi
en tout cas elle était troublinée
et j'a bien vu qu'elle était trixte
la pôvre petite
et j'a compris pourquoi

quand elle fait du marching comme ça
tous les soirs à la même place
c'est pas pour rien
c'est pour attendre son amoureux
et la pôvre
pôvre petite
elle a pas de chance
c'est jamais le même
qui la prend par la main

alors moi quand je visionne ça
je me dis
moi je pourrais la consoler

et je rêve je rêve je rêve
que je suis son aimant
je nous voye tous les deux

dans un apparfaitement luxurieux
dans un grand lit confrottable
un beau grand libido

elle
diafine et transporeuse
très complètement sans dessus dessous
les yeux pleins d'étoiles de jouy
suspendue à mon cou de foudre
et moi alors je suis son héron
je m'extirpassionne
je deviens démontionnel
je la bécassine partout
nous faisons des globules
nous cupidons pendant des heures

mais la pôvre petite
comme elle aime pas les pastilles
elle a un petit bébé
puis un autre et un autre et un autre
et bientôt il y en a partout
il y en a plein
il y en a des tonnes
ça pilule
et comme elle est pas habitouillée
elle s'énervouille bien sûr

et elle se fâche
moi aussi
et on se lance des gromosomes
et puis un beau jour ça y est
elle prend son chapeau
elle prend son sac
elle enfile ses slogants
et elle s'en va dans la rue travaller
pour la libre ration de la famélique

pôvre pôvre petit moi
ma vie devient terriblifique
avec des bébés partout
je sais plus quoi faire quoi faire
j'ouvre une paternelle
je crie famille

et c'est là que je me réveillonne
toujours quand le rêve
il devient crochemar

alors là je dis à tout le monde
attention
c'est très énormément important
il faut se remembrer
la vie avec une femme
c'est plein de puérils

c'est pour ça que j'aime mieux rester solide à terre
ouille oui alors
j'aime mieux ça
que faire naître au monde
plein de pôvres
pôvres petits sous-sol...

Le bout d'jouet

c'est important les sous
très énormément important
les sous
moi j'en a jamais vu
mais ça c'est pas ma faute
y en avait pas chez nous
mes parents ils étaient pas riches les pôvres
ils étaient comiquement faibles
je peux pas dire que j'ai grandi entre parenthèses
et il faisait froid chez nous
il faisait froid je m'en souviens
passeque quand la substance sociale
elle venait à la maison
elle nous disait toujours
c'est passeque vous mangez pas assez
faut manger
faut pas avoir peur de manger
vous avez besoin de calorifères
alors là un jour
mon père s'a décidé
on les a tous mangés
ouille c'est dur
quand y a des petits bouts droits ça va
mais quand ça serpentouille
ça passe pas

moi je m'a jamais habitouillé
ça me restait là
et c'était pire après
passeque il faisait encore pluss froid
dans la maison

et ça coûte cher ce petit jeu-là
drôlement cher

là il faut dire quand même
que la substance sociale elle a été gentille
elle nous a donné un bon truc
elle nous a dit
c'est passeque vous savez pas vous organouiller
voilà vous faites du gaspilling

dans la vie
faut pas faire de dépensing n'importe comment
faut avoir un bout d'jouet
faxile à dire
qu'a répondu mon perplexe
il faut dire que lui a jamais réussi à s'organouiller
d'ailleurs ils sont rares les gens
qui sont capables de s'organouiller
avec un bout d'jouet
c'est pas faxile
même les coiffeurs
ils sont rares les coiffeurs

qui arrivent à boucler leur bout d'jouet
y a qu'à voir les gens comment ils font du gaspilling
comment ils dépensouillent
ils arrêtent pas
ils s'achètent des autos
ils ont même pas les moyeux
et ça roule ça roule sur les routes
et allez donc
et quand ils voyent un petit panier au bord de la route
ils stoppent et jettent l'argent par les fenêtres

et ensuite quand ils se rendent compte
qu'ils roulent sur une banqueroute
il est trop tard

y en a y en a
qui savent s'organouiller
c'est sûr
mais alors là attention
ceux-là ils sont pas bêtes
ils restent pas tout seuls
ils se détiennent en compagnie
et la première chose qu'ils font
ils constructionnent un beau grand piège
très moderne
très beau
plein d'étages et tout et tout
et là

tout le monde très curieux vient voir
et ça entre et ça entre
et quand le piège il est plein
ils sont pris les pôtres
ils sont obligationnés de travaller
c'est le piège social
bien sûr tout le monde travalle pas fort
dans le piège
non
y a tout un étage
par exemple
pour la condébilité
ils sont innombreux là-dedans
mais y en a seulement deux qui travallent
l'actif et le passif
même qu'ils arrivent jamais à travailler ensemble
ils sont jamais d'accord

mais les autres
qu'est-ce qu'ils font les autres?
ils jouent avec le bout d'jouet
c'est agréable le bout d'jouet bien sûr
ça s'étire c'est mou
y a toujours un petit trou au bout
y en a toujours un qui découvre le petit trou
et il souffle
et le petit bout d'jouet il gonfle

et puis un autre se met à souffler
et un autre et un autre et un autre
et le pôvre bout d'jouet
il a pas le choix
il gonfle gonfle et devient très énorme
et puis quand ils sont fatigués
qu'est-ce qu'ils font les lâches?
ils le lâchent
et le bout d'jouet qu'a deviendu tout gros tout rond
il monte monte
il crève les plafonds
il va de bourreau en bourreau
et se fait gonfler encore
pôvre petit bout d'jouet

mais le pire
c'est quand il arrive au bourreau d'achat
il a pas de temps à perdre le bourreau d'achat
quand il le voye arriver le bout d'jouet
il lui donne un grand coup de gonfling comme ça
et le pôvre bout d'jouet devient pluss énorme
très énormément pluss énorme
et il monte encore jusqu'en haut
jusqu'au bout
jusqu'au bourreau de la direction
et là c'est grave
c'est terriblifique
passeque le bourreau de la direction

il aime pas ça les bouts d'jouet
surtout les gros
ça l'énervouille
et là il appelle tout le monde autour de lui
il appelle ses diminustrateurs
et ils prennent des mesures
ils prennent leur temps
ils prennent des moyens
des petits et des grands
pour dégonfler le bout d'jouet

des fois ils y arrivent pas
c'est trop déficit
alors là y a qu'une chose à faire
ils appellent le super viseur
et alors là attention
celui-là il est fort
il sait viser
il rate jamais
PAF
pffuitt
et le pôvre bout d'jouet
c'est pas long
il redescend à la condébilité

ouille oui alors
ça c'est des gens qui savent s'organouiller
dans leur piège

mais mon père lui il savait pas
il a essayé quand même
faut le dire
il a essayé une fois

et comme il était prudent
il a dit
on va avoir deux bouts d'jouet
un de rechange

seulement il a pas eu de chance

quand son premier bout d'jouet a été assez gros
le pôvre il a tombé sur un vil brequin de la finance
PAF
il a éclabouillé
et l'autre petit bout d'jouet
il a eu peur
il s'a dégonflé pffuitt
et ç'a été fini
plus jamais jamais
on a réussi à rejoindre les deux bouts...

La colle

la colle ça compte
si tu vas pas à la colle
tu sauras jamais tes lettres

tu seras comme nos anciens êtres
eux ils savaient pas leurs lettres
ils allaient seulement à l'agricole
ils savaient pas
au lieu de commencer par l'â
ils ont commencé par l'o
ils ont suivi des cours d'o
avec une bande de joyeux hurons

quand on connaît l'o
on est pas pluss avancé
on tourne en rond
on flotte

ils ont compris quand même
nos anciens êtres
ils ont débarqué à terre

et ils se sont mis en tête
de la déchiffrer la terre
en trébûchant un peu partout
c'est dur le retour aux souches

ils savent pas
ils ont mis la morue devant les bœufs
ils ont creusé des échantillons
puis ils ont fait les chamailles
les chamailles près des grands bois
ça a pas donné de bien bonnes révoltes

ça a donné seulement un petit peuplier
un peuplier sans hixtoire
qui arrivait tout juste à tartiner son pain
avec du labeur
c'est pas le labeur qui manquait

toi
tu vois
faut que tu ailles à la colle
chez les insulines
ou les dames de la ségrégation

t'apprendrais à faire la préférence
comme l'ingénuflexion
t'apprendrais à faire des bouquins de fleurs
tu les mettrais en verbe
pour les subjuguer pluss-que-parfait

tu ferais des petits compliments circonstanciels
t'apprendrais le bon usage de l'écrevisse
pour que la langoustine soye meilleure

tu t'amuserais à la mécréation
tu ferais des blagues
tu viderais des hyperbols de sirop considérable
tu connaîtrais livresque
ce serait la métafoire

et tu te retrouverais à la grande colle
la colle polyvaillante
tu verrais que le verbe se fait
de pluss en pluss cher
et t'arriverais plus
même avec ton pognon personnel

tu viendrais à la colle à pied
en recyclette ou en autobruscolère
t'aurais le vindicatif présent
à cause du syxtème à trique
avec tes maîtres maximaîtres
minimaîtres indécimaîtres
coincés dans leurs organigrammes inimaginables

alors ensuite plus tard
tu pourrais te reposer
bercer tes allusions sur ton allégorie
ou aller en vacances
réchauffer tes auxiliaires
étendue sur les pages du lexique

tu vois
c'est avec la colle
que tu finis par avoir de l'impotence...

La cellulite

la santé
tu sais ma petite
ça tient à rien

souvent même c'est maladif
la santé

tiens par exemple
tu sais jamais
si un jour tu feras pas de la cellulite
terriblifique la cellulite
c'est une maladie qui vient comme ça
en mangeant

tiens suppositionnes
que tu entres dans une tapisserie
tu manges un gâteau
deux gâteaux
trois gâteaux
plein de gâteaux
là c'est grave
t'es sûre de payer pour ça pluss tard
surtout si tu payes pas tout de suite
si tu sors sans payer
alors là on te rentre en-dedans
et là
t'es sûre de faire de la cellulite

et là t'es malade
d'abord tu peux pas sortir
tu restes enfermée entre quatre murmures
pas question de sortir avant d'être guérie
et ça peut prendre des mois des années
y a qu'une chose à faire
rester là détendue
c'est la détention toute la journée

bien sûr quand tu fais de la cellulite
t'es pas toute seule
y a plein de gardes
qui s'occupassionnent de toi
et c'est pas des garde-malades

non
c'est des gardes en santé
ils sont là pour ta persécurité les gardes
ils te rendent toutes sortes de petits sévices
ils sont toujours là
les yeux sur toi
pôvres gardes
c'est fatigant
toujours l'alarme à l'œil

alors des fois
ils ont le goût de prendre l'air
ils t'emmènent
ils te prennent par la menotte
pour faire le promening dans la cour
et là faut pas penser
que c'est une cour d'appel
tu peux crier bien sûr
mais ça dérange personne
personne écoute
personne fait attention là
même les oreilles ont des murs
d'ailleurs pluss tu cries
pluss les gardes sont gentils
ils te ramènent doucement
ils t'engeôlent

mais y a une chose qu'ils te disent pas
(c'est des petits cachottiers)
ils te disent pas que c'est mieux de pas crier
autrement c'est pluss long à guérir
pluss tu cries
pluss tu feras de la cellulite
longtemps
et tu sauras jamais
quand tu pourras manger encore
des gâteaux

sûrement pas avant la fin
de la grève
de la faim
de la grève
de la fin
de la grève
de la faim
de la grève
de la fin
de la grève
de la faim
de la grève
de la fin
de la grève
de la faim...

feu feu

ayant déjà fait long
feu est mort
dernier sursot d'une embolie oratoire

surnourri sursaturé
survolté surexcité
surmené surestimé
feu est mort
mort d'avoir survécu

c'était un homme d'argent
on a cru au subside
ô naïve candeur
il avait tout brûlé
très vite par les deux bouts
sans réchauffer personne
brûlé la politesse à sa condescendance

né goïste
il a fini par passer à deux doigts de la vie
il ne laisse dans le deuil
que son détestament

famille séchez vos fleurs
et plaignez ce qui en reste
qui voudrait hériter
d'une fripouille mortelle?...

Électroluxe

tous les quatre ans à peu près
ça nous tombe dessus
la ville est invasionnée par la campagne
et par les candides ah les candides ah
alors on fait le grand ménage
on vide la chambrée
et on nettoye
et on aspire
c'est un électroluxe qu'on se paye
on se met à quatre cinq six
sur le même siège
et on aspire on aspire
et c'est le meilleur aspirateur
qui gagne
il garde le siège
et le dossier avec
ah les candides ah
toujours la même sempritournelle

— chers amis chers électrons
je suis pas là pour vous faire des pommettes
la lutte est serrée
elle étouffe
nous avons des adversailles de terre
et si l'heure est grave
la nôtre aussi
écoutez-les nos adversailles
ils vous disent que tout va bien

eh bien non
ils sont dans l'horreur
tout va mal
très énormément mal
y a qu'à voir les horriblifiques malheurs
qui nous varicellent dessus
la confiture est de moins en moins économique
le produit national de pluss en pluss brut
et ils prétentionnent que ça va bien

puis quand ils savent plus quoi dire
il s'esscusent
le garnement n'a pas de paternative
c'est la bourse ou la vis
faxile à dire la bourse ou la vis
quand la bourse a la mine basse
qu'est-ce qu'ils font?
ils serrent la vis
et le résultat?
le gamin d'œuvre n'a plus d'ouvrage
et là ils sont fiers
passequ'ils ont l'assurance chaumière
mais c'est pas mieux
avec l'assurance chaumière
même les maisons ne travallent plus

et quand leur truc colle pas
ils font le contraire

ils desserrent la vis
et la bourse se remplit
et là mes chers électrons
c'est pire
quand la bourse est pleine
tout le monde dépensouille
comme des fous
comme si y avait le feu
d'ailleurs ça donne l'inflammation
tout le monde s'assaisonne
avec la salière minimum

non
mes dents et mes yeux
je vous le dis
nous sommes au bord de la bine
et quand nous serons accumulés
au pied du murmure
il sera trop tard

de l'attentisme au pacifisme
y a qu'un pas
le pas de loi des mesures de naguère
et qui
je vous le demande
qui paiera le conte de l'amère loi?
allons-nous nous laisser traire?
allons-nous attendre le retour des lois blanches?

non chers électrons
je vous en supplice
prêtez-moi une oreille à tentative
y a qu'une chose à faire
fini le repas du guerrier
il faut passer à la taxe

ouille alors
là quand il entend des dixcours comme ça
le bon sens ne fait qu'un tour
il se dit
les candides ah
pauvres candides
faudrait quand même leur donner leur siège
ah oui
un siège éjectable
pshouitt...

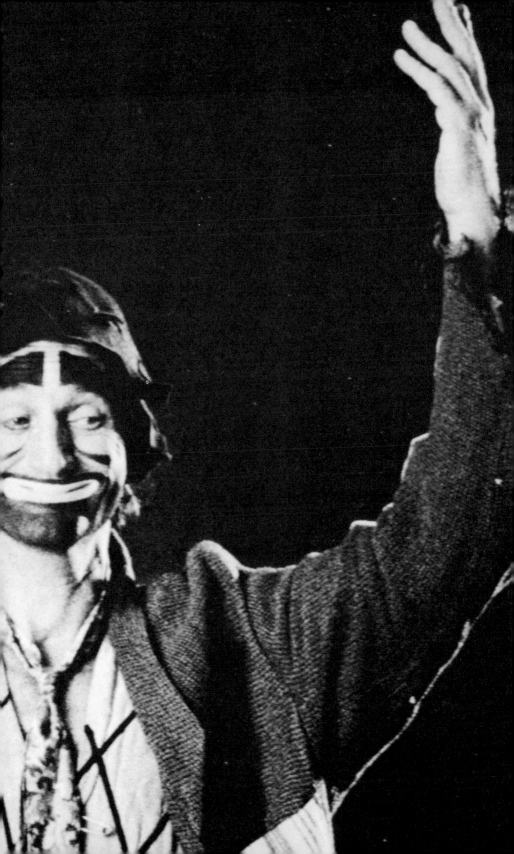

Le mur du son

y en a qui me disent
prends ma parole
(moi je rigole je saurais pas quoi faire avec)

la parole il faut la prendre
faut pas attendre qu'on te la donne
si t'as pas la parole
y aura comme un mur
(moi ça me fait rien
du moment que je suis de l'autre côté)

si t'as pas la parole
tu vas régressionner
tu seras comme l'ancien
toujours vétuste de peau de bête
tu seras comme le piteux canthrope
il avait pas la parole
il avait du mal à s'esspressionner
il bruitait meneu meneu
il avait le bras long mais le cervelas
avec une toute petite idée au milieu
il faisait son café au silex
il faisait la chasse au vermouth et au tison
et il a fini par avoir le feu
il avait le croc mignon
mais il savait pas s'en servir
c'était le néant verbal
quand il captivait des muffles

il était embêté
il aurait voulu dire
attention tout le monde
le troupeau qui brumine dans la plaine
c'est moi que je l'a captivé
il aurait voulu
mais il avait pas la parole
alors il dessinait
il dessinait ses muffles
sur les murs de son trouglodyte
c'était grottesque

moi je suis pas d'accord
je trouve ça bien de pouvoir dessiner sur les murs
j'aimerais ça faire mes frasques partout sur les murs
il paraît que c'est pas permis de nos jours
pôvre piteux canthrope
il serait malheureux de vivre
dans nos décapitales

ah si j'avais des murs
mais j'en ai pas
j'ai toujours habité mon manteau
je suis bien chez lui quand même
tellement bien que je le loue
chaque mois je lui fais la louange
esstradinaire superbe appartemanteau
cinq pièces avec porches intérieures

vestibule à carreaux
garanti impermouillable
très complètement fini
en simili véritable
et achevé à la seconde main
drôlement bien aéré
des petits trous partout
pour faire sortir les mythes

ouille oui je suis bien chez mon manteau
je pourrais le classer monument hystérique

une fois seulement
ç'a été mal entre nous
c'était un soir d'hiver
un de ces soirs où t'as le goût
d'avoir une cheminée sous le manteau
on allait s'endormir tous les deux
et là j'ai eu le malheur de lui parler
de ses revers de fortune
il a pas aimé ça
il a pas rapiécé mes propos
moi pour le calmer
je l'a embrassouillé

bonne nuit
il attendait que ça
quand la bise fut venue
il m'a laissé tomber

ouille tu me mets à la porte manteau?
tu me déshabites?
tu me détériores?
tu peux pas me faire ça
je peux pas vivre sans toit
toi le petit toit du petit moi

je savais plus
j'étais sans logique
pôvre loquataire
j'aurais voulu faire le plaintif
appeler la régie déloyale
j'avais rien dans les poches
j'avais même pas de poches
c'est lui qui était parti avec

alors je lui ai écrit une lettre
circulaire
« ô mon cher manteau
cette lettre c'est un ô revoir
pour te dire reviens manteau
tu me manques manteau
tu es mon unique forme
tu es parti sans dire un mot
quand tu disais que tu m'aimais
tu me mentais manteau?
bien sûr je t'ai frusqué

j'aurais pas dû
je me détexte
je m'abomine
je voudrais me changer

mais j'ai rien qu'un manteau
j'étais le chef
je te désordonnais
fais ci fais ça
mais maintenant que t'es parti
je suis le chef de quoi de qui?
je suis le chef du parti
c'est trop pour moi
reviens
où que tu soyes reviens-en
je me contritionne
je me tape la très grande faute
je me frappouille la plorine
reviens
tu me manques manteau »

et puis un jour il est rentré
et j'a compris
il avait simplement eu peur
que je le double
pôvre manteau
maintenant je le laisse plus partir
j'ai trop besoin de lui
après tout c'est mon revenu

même avec du fil à retordre
on finit par se raccommoder

ah si j'avais des murs
je payerais n'importe quoi
pour avoir des murs
mais j'ai pas de sous
je payerais même pour avoir des sous

des murs c'est important
si t'as pas de murs
tu peux rien faire
si t'as pas de murs
où tu vas te taper la tête
passeque que t'as pas de sous?...

Les cadeaux

j'aime ça les cadeaux
ouille oui alors j'aime ça
passeque c'est très énormément important
les cadeaux
donner recevoir c'est agréable
même que c'est pluss agréable de donner
c'est comme les coups
pluss on en donne pluss on en reçoit
des cadeaux
mais le pluss important dans les cadeaux
c'est l'échanging
l'échanging toujours l'échanging
je donne
tu reçois

je te reçois tu te donnes
l'échanging y a que ça
ç'a toujours été comme ça
c'est pas nouveau
y a qu'à voir dans la grande hixtoire
les premiers qui habitationnaient ici
les indigestes
ils étaient habitouillés aux cadeaux
ils passaient leur temps à échanger des tribus alors
ils avaient des petits bateaux
tout légers
tout fragibles
pour faire du promening sur les rivières

111

ces petits bateaux-là
c'est pas eux qui les constructionnaient
non
c'était des cadeaux
des cadeaux d'écosse
c'est pas une blague
demandez à n'importe qui
tous les bouleaux s'en rappellent

ils connaissaient ça les bateaux
les indigestes
c'est pour ça qu'ils ont pas été surpris
quand il y a venu un jour ici
des grands bateaux avoines
même qu'ils étaient contents les indigestes
parce que ces bateaux-là
ils étaient pleins
pleins d'exportateurs

et qu'est-ce qu'ils ont fait
les premiers exportateurs en arrivant?
d'abord ils ont fait du stopping
ils ont jeté l'ancre
et un petit coup d'œil
puis ils ont fait du débarquing
ils ont mis le pied marin à terre

et ils ont découvert le pays
dommage qu'ils l'ayent pas recouvert
depuis ce temps-là on gèle

les indigestes eux autres
ils se sont découverts tout seuls
très complètement découverts
ils ont donné tous leurs manteaux de fourrure
aux exportateurs

mais ils étaient gentils les exportateurs
en retour ils leur ont donné des petits miroirs
plein de petits miroirs
tous leurs petits miroirs

pôvres exportateurs
ils étaient bien attrapouillés
ils avaient les fourrures
mais ils avaient plus de miroirs pour se regarder
ouille
c'est peut-être pour ça
qu'ils étaient pas tant tellement contents
alors ils ont oublié de donner l'instruction
avec les petits miroirs
alors les pôvres indigestes
ils savaient pas comment jouer avec les miroirs
ils les ont très complètement brisés
ça leur a donné quelques centenaires de malchance

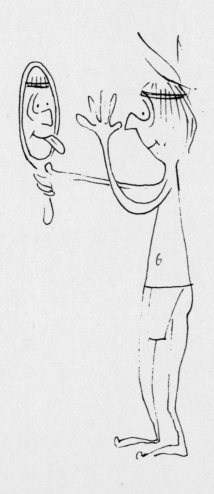

mais c'était pas grave
passeque tout de suite
on a été amis nous autres avec les indigestes
tout de suite on s'a mis à faire de l'échanging
de cadeaux
toutes sortes de cadeaux

par exemple
ils avaient des raquettes
et nous on avait des balles
alors on a joué

ils aimaient ça jouer les indigestes
nous aussi bien sûr
et il y avait une petite avec nous
qui passait son temps à jouer avec eux
elle s'appelait Basdelaine de Mercière

un jour elle a décisionné de leur faire un cadeau
elle a dénouillé son petit mouchoir
et zoup
elle leur a donné comme ça

alors là les indigestes ont dit
que c'est joli alors
seulement on aimerait ça avoir tout le cadeau
et ils ont couru après

elle aussi elle a couru bien sûr
et court et court et court
même qu'à un moment donné
elle s'a sentie faible
elle a entrée dans le fort
et là elle s'a défendue
elle s'a tant tellement bien défendue
que jamais jamais
ils l'ont attrapouillée
jamais
c'est là qu'ils ont compris que c'était pas un cadeau
c'est là qu'ils ont compris
que l'héroïne s'a défendue

eh oui
y a rien à faire
on est comme ça nous autres
on aime ça donner
on aime ça recevoir aussi
ah oui
on est toujours prêts à recevoir
les angleterriens
quand ils sont venus
faire leur premier visiting
on était prêts nous à les recevoir
ce jour-là
on avait fabricouillé
un très énorme gigantexe ragoût de boulettes

bien sûr on leur a pas donné comme ça
tout d'un coup le ragoût
non
boulette par boulette
tacatacatacatac

mais là je sais pas ce qui s'est passé
peut-être ils étaient pas habitouillés
peut-être ils aimaient pas ça
ils nous ont renvoyé toutes les boulettes
froutch
peut-être ils avaient pas compris
à cause de la langue
peut-être on aurait dû la retourner sept ou huit fois
dans notre bouche de canon

ça fait rien
nous on a quand même restés amis
avec les angleterriens
et tout de suite
on a fait de l'échanging de cadeaux

le premier tant vermouilleusement beau cadeau
qu'on leur a donné
c'était une belle grande colline
pleine d'abrahams
ouille qu'ils étaient contents

tant tellement qu'ils sont retournés chez eux
et pour nous faire plaisir
ils sont revenus avec leur pluss beau meuble
qu'ils nous ont donné en cadeau
le banc de la reine

depuis ce temps-là la pôvre
elle est debouckingham

bien sûr on aurait voulu donner quelque chose
en retour
faire de l'échanging
mais on avait rien pôvres petits nous
on avait rien

c'est là qu'on a pensé
peut-être on pourrait leur laisser le champ libre

c'est ça qu'on a fait
un beau grand champ victorien qu'on leur a laissé
le haut canada

ils étaient contents
ils sont encore contents d'ailleurs

y a rien à faire on aime ça donner
on a le tour de se faire des amis
c'est la même chose avec nos amiricains d'ailleurs
mais ceux-là ouille alors
ils sont pas forts sur les cadeaux

c'est nous qu'on a été obligationnés
de faire le commencing
un beau jour on a dit
c'est imporcible
on peut pas rester comme ça
à côté d'eux autres
sans rien faire
non
alors on a commencé avec un tout petit cadeau
on leur a donné un peu d'eau
ils ont pris ça ils ont regardé
et ils ont fait WASP
ils pensaient que c'était une blague
mais quand ils ont eu goûté de notre eau
de ressource naturelle
ah ah
ils en voulaient encore encore et encore
même qu'a fallu ouvrir le grobinet
même que depuis on a jamais réussi
à le fermer le grobinet

nous ça nous faisait rien
parce que de l'eau ici y en a
y en a de l'eau
y en a des lacs et des rivières
et des lacs et des rivières ça se touche
une grève attend pas l'autre
bien sûr à nos amiricains
on a pas donné seulement de l'eau
on leur a donné aussi du pain
du beau petit pain tranché par nous
des forêts entières
ils étaient drôlement contents
qu'on les aye mis au pain et à l'eau

seulement là
y a une chose qu'ils ont oubliée
peut-être ils connaissent pas ça
ils ont oublié
l'échanging
tout ce qu'ils nous donnent
depuis ce temps-là
c'est des pieuvres d'amitié

et c'est l'échanging qu'est important
je l'a dit

je le répétouille
faut penser à l'échanging avec les cadeaux
faut pas donner n'importe quoi
à n'importe qui n'importe comment
c'est sûr

un pirate par exemple
qu'est-ce que ça aime un pirate?
ça aime le grand air
les grands expaces
bon
alors si je donne à un pirate
de l'air
c'est pas sûr qu'il va me rendre la pareille...

La rétrovision

au début du commencing
y avait un beau jardin esstradinaire
plein d'arbruisseaux qui roucoulaient
de flores qui pétalaient
et de voléoptères qui papillaient partout

et puis y avait un homme
qui vivait là
tout seul le pôvre
tout seul avec sa première femme
mais il était pas heureux
quand il la regardait dans la glace
il ne voyait pas sa moitié
c'était un homme à courte vue
et il voulait voir pluss
pluss loin
la curiosité le dévorationnait

or un jour
qu'il faisait son promening
en grignotinant une pomme
(pourtant bien dans sa peau la pôvre)
qu'est-ce qu'il entrevise?
un serpent
pas un petit serpiton de rien du tout
non
un gros grand
un serpendicapé

qui voyait pas pluss loin
que le bout de sa lancette
un serpent à lunettes
d'approche pas commode

ah ah que se dit le subreptile
en voyant l'homnipède
ça doit être le pommier
et le serpendiculaire lui grimpigne sur la colonne
mordu de peur
l'homme s'écria
ouille je suis pas sorti du boa

sa première femme
qui n'était pas loin
et qui avait du blair
pense aussitôt
tiens un serpent
ça me rappelle une antidote

elle saute alors sur la pomme d'adam
et l'offre au serpent
tu prendras bien un ver?
surpris mais poli
le serpent dit pas non
c'est gentil mais je ne bois que dans le mien

sitôt dit sitôt fait
et pendant que le serpent change de pot
la fameuse en profite
et pique vipéreusement ses lunettes
qu'elle refile à l'homme
juste adam

plus tard quand tu seras nombreux
tu auras des contacts
pour le moment porte ça

et l'homme ravi de voir pluss
et pluss loin
pour la remercier
lui fabricouilla des jumelles
elle en fut tant tellement contente
qu'elle les porta plusieurs mois

c'était le paradis

mais l'homme
en bitieux qu'il était
voulait toujours
voir pluss et pluss loin
et c'est alors
qu'il interventionna
le miniscope

pour voir les minicrobes minuxcules
le stellescope
pour voir les étoiles majuxcules
et l'horoscope
pour se faire des petits signes

c'était le paradis

et puis un jour deviendu vieux
il stoppe l'intervention
il jette un long regard
sur son petit passé
et qu'est-ce qu'il voit?
des bébés
plein de petits bébés
ouille c'est ma trogéniture
les bébés c'est gentil
mais faut les occupassionner à quelque chose
autrement ça turbide

alors il s'a servi de sa machination
et leur a fait aux bébés
une belle petite boîte
avec une fenêtre
pour qu'ils se tiennent tranquilles

c'était la rétrovision

et les bébés visionnaient visionnaient
ils grandissaient
assis tranquilles
en visionnant la petite boîte

c'était le paradis

mais les paradis ça dure pas
c'est bien connu
et les bébés non plus d'ailleurs

d'années en années
d'émissions en démissions
(l'homme l'avait pas réalisé)
la rétrovision devenait de pluss en pluss violette
avec de pluss en pluss de brutes alitées

faut que ça cesse
dit l'homme tout à coup
si la rétrovision se met à bouger
les bébés vont s'agitationner

et c'est là qu'il a eu une idée génieuse
il a glissé une sangsue dans la boîte

bien sûr à la rétrovision tout le monde affalé
a pris peur
attention la sangsurveille la sangsurveille
c'est une sangsue à roulettes
elle est partout
c'est une autosangsue

et à partir de là
toutes les omissions
c'est la sangsue qui les faisait

et moi je me disais
pourquoi ils s'énervouillent?
une sangsue c'est pas idiot
ça aime que le bon sens
pôvre sangsue
c'est pas à la rétrovision qu'elle va faire
de vieux os...

La clef anglaise

ouille que j'ai hâte de savoir
me servir de la clef anglaise
c'est tant tellement commode
tu connais?
tu connais pas?
pourtant c'est pas nouveau
y a longtemps qu'on l'a reçue
la clef anglaise

ça nous est arrivé
un beau soir qu'on était chez nous
bien tranquilles
qu'on dérangeait personne
tout à coup
y a des drôles qui sont venus nous faire
du visiting
ils sont arrivés à la porte
en faisant un bruitannique très énorme

nous bien sûr
comme on voulait pas les voir
on a pas ouvert
même qu'on a fait rouiller la porte
très sordidement
mais eux ils voulaient entrer
ils lâchaient pas
et ils étaient au pluriel

toute l'obstination était là
ils criaient
ouvrez c'est pas juste
vous avez le petit bonheur
et vous voulez pas partajouir avec nous

nous on savait pas trop quoi dire
on voulait pas passer pour des égoïnes
on serchait une défaite
ç'a pas été long qu'on l'a trouvée

d'accord qu'on a répondu
on garde le bonheur
et on vous laisse l'occasion

tout de suite ils ont sauté dessus
ils ont commencé à tirer sur la porte
et tire et tire

nous pour nous amuser on tirait aussi
on tirait de l'autre côté de la porte
on tirait de l'arrière

fin finalement c'est eux qui ont réussi
ils ont dérouillé la porte avec leur clef
et quand on l'a vue leur clef
on a compris
c'était la clef anglaise

— ouille la belle clef esstradinaire qu'on a dit
on peut l'avoir?
— bon nous on veut bien
si vous nous laissez jouer du saxon chez vous
on vous prête notre clef

on a pas pu résister
d'autant moins qu'ils nous ont servi
une consommation
ils nous ont fait prendre une tasse
toute petite d'ailleurs
une vraie tasse de minorithé

ensuite on a pas été long
à apprendre à s'en servir de la clef anglaise
tu peux pas savoir
c'est une clef qui ouvre toutes les portes
ça passe partout

tiens pour travaller il te faut la clef anglaise
si tu l'as pas
tu peux prexe rien faire
tu restes un petit
un exployé
peut-être un poli maçon
ou un deminuisier
en tout cas tu tires la vache engagée par la queue

mais si tu l'as
alors là c'est autre chose
t'es bien partout
tu entres dans un magasin à rayures
tout le monde te compréhensionne
c'est toujours toi le premier servile
ça va aussi vite
que si t'avais la carte de crédule

avec la clef anglaise t'es bien partout
au salon dans la cuisine dans le garage
même en auto
tire la bobinette et la chevrolet cherra
avec la clef anglaise tu peux être un américanicien
comme ça
tu peux graisser le promoteur
jouer avec ses fistons
c'est le frein du frein
tu te sens au septième différentiel

ah savoir un jour jouer de la clef anglaise
je serais plus mal pris
je serais un homme de fer très imposable
avec une secrétaire qui taperait
à deux langues
une stéréo-dactylo
une déceptionniste qui répondrait à l'anglophone

je serais un chef d'entrecrise
j'aurais un gouffre énorme
un gouffre-fort
contre les valeurs

ça rôde partout les valeurs de nos jours
j'ai pas envie de les retrouver dans mon gouffre
les valeurs

mes fonds
je les mettrais au frais
dans une banquise
comme ça si ça devenait trop chaud
si ça se mettait à fondre
j'aurais du liquide
et mon dollar pourrait flotter jusqu'ailleurs

faut savoir assommer ses responsabilités
je tiendrais mon incompatibilité moi-même
j'ai l'incompétence assez sûre de moi
je serais un spéculotteur
au ventre pyramidal
je crèverais le plafond mutuel
de la haute finesse
je serais un gros exployeur
qui ferais des heureux
surtout des heureupéens

qu'importent les autres
moi j'importerais des dénigrants
et j'exporterais des acadiens

j'aurais une grosse compagne mutine et nationale
le genre qui manipulpe l'information
j'achèterais le journal
je serais l'ami du rétracteur en chef
et je lui ferais changer d'idétorial tous les jours
je les mettrais dans ma poche
avec le garnement qui serait aussi mon ami
qui aurait toujours un sidérurgent besoin
de mon savoir-fer

je serais pour la folitique de grandeur
debout sur ma chaise à culte
les pieds dans une paire de scandales

tu vois comme c'est commode la clef anglaise
quand tu l'as
tu peux plus t'en passer
ça devient vite une hébétude
ça fait partie de la traduction
et la traduction faut pas la perdre
faut respecter la traduction
autrement
jamais on sera des fac-similés...

NOTES BIOGRAPHIQUES

Marc FAVREAU, comédien et auteur.

Né à Montréal en novembre 1929, au tout début de la crise mondiale. (Il jure toutefois n'y être pour rien.)

Apprentissage à Montréal avec Jean GASCON, Jean DALMAIN, Jean-Louis ROUX et Guy HOFFMAN (1950-53), suivi d'un stage à Paris avec Jean VALCOUR (1954-57).

Depuis, de nombreux rôles à la télé montréalaise. Feuilletons divers (14 rue de Galais, Le Survenant, Symphorien), dramatiques dont notamment: Ne te promène donc pas toute nue (Feydeau) et L'Homme, la Bête et la Vertu (Pirandello).

Principaux rôles à la scène:

Pierrot (Don Juan, de Molière, Théâtre du Nouveau-Monde) 1954

L'Intimé (Les Plaideurs, de Racine, Théâtre-Club) 1959

Arlequin (Le Jeu de l'amour et du hasard, de Marivaux, Nouvelle Compagnie Théâtrale) 1966

Harry (Love, de Shisgall, Théâtre de 4 sous) 1967

Dario (Faut jeter la vieille, de Dario Fo, au TNM) 1969

Le Grand (Les Archanges, de Dario Fo, au TNM) 1971

Arlequin (Commedia dell'arte, de Marc Favreau, à la NCT) 1971

Auguste (Auguste, Auguste, Auguste, de Pavel Kohout, NCT) 1971

Sa meilleure école fut toutefois une participation continuelle, de 1958 à 1972, à plusieurs séries télé pour les jeunes: *Les Enquêtes Jobidon, Le Courrier du Roy, La Boîte à Surprise* et comme comédien et auteur, *Les Croquignoles*, et surtout la série *Sol et Gobelet*, demi-heure hebdomadaire d'un tandem de clowns jamais sevrés d'absurde, et au terme de laquelle Sol avait atteint l'âge auguste de 14 ans!

Depuis 1972, devenu égoexcentrique, il soliloque par le biais de son enfant Sol, qu'il a projeté sur scène afin de satisfaire les folles de tous les logis!

Achevé d'imprimer
en septembre mil neuf cent soixante-dix-neuf
sur les presses de l'Imprimerie Gagné Ltée
Louiseville - Montréal - Canada

Dépôt légal: 4e trimestre 1979